梦 想 的 翅 膀

梦想的翅膀

文、图／几米、朱里亚诺·费里、汉斯·比尔、彼得·西斯、昆特·布赫兹、
罗伯特·英潘、杜尚·卡洛伊、阿尔韦托·瓦里安蒂、阿莉西亚·科塔萨尔、
本·达利瓦、克里斯托夫·杜鲁阿、克劳迪奥·加尔登吉、黛安娜·拉达维希特、
黄本蕊、克里斯蒂娜·里纳尔迪、多米尼克·格勒布纳、埃达·斯基伯、
弗雷德里克·曼索特、乔瓦尼·曼纳、王家珠、亚赛特·吉乌什列夫、
伊莎贝尔·沙特拉尔、伊莎贝尔·福雷斯蒂尔、李汉文、
卡思特提斯·卡什帕拉维希斯、玛丽亚·巴塔利亚、玛琳·丹蒂博斯、
玛丽安娜·罗特、毛罗·埃万杰利斯塔、梅·鲁索、妮科莱塔·贝尔泰莱、
妮科莱塔·切科、保罗·达尔坦、保罗·鲁伊、皮娅·瓦伦蒂尼斯、赛雷娜·里列蒂、
斯特凡诺·塔塔罗蒂、斯特凡娜·吉雷尔、文森特·杜特莱、仉桂芳、黄淑英

儿童阅读——永恒的进行式

你们可以给他们爱，却不可以给他们思想，因为他们有自己的思想。
你们可以庇荫他们的身体，却不能庇荫他们的灵魂：
因为他们的灵魂居住在“明日”的宅中，那是你们在梦中也不能想见的。
生命是不倒行的，也不与昨日一同停留。
你们是弓，你们的孩子是从弦上发出的生命的箭矢。

——纪伯仑《先知》“孩子”

关于阅读的讨论

作家阅读人生，音乐家阅读音符，画家阅读美的形体；建筑师阅读想象的空间，天文学家阅读浩瀚的星空，物理学家阅读看不见的作用力；水手阅读海洋，农人阅读大地，情人阅读彼此眼中的爱意……如果要继续举更多例子，将会没完没了，因为，看样子人人都会阅读。

“但是，你都没有提到书啊！谈阅读却不谈书吗？”有人提出这样的疑问，抗议我们避重就轻。看样子，人人对阅读的定义有很大的差异。但我们应该花时间在这里讨论阅读的定义吗？像社会学家一样，每讨论一个问题前都针对各项名词充分讨论，先得到大家对议题定义的认可，等到形成了共同的沟通基础，再开始进行讨论吗？那或许是一个好方法，我们以后可以试试看。但现在我们先把定义的问题放在一边，一起专心地关心我们的孩子吧。

天生的阅读高手

我们的孩子，他们清亮好奇的双眼，自睁开的那一刻起，无时无地不在阅读；他们的心灵，自降临这个世界起，就开始了大量的阅读——飘浮在空气中的气味、眼前模糊不清的形状和颜色、父母亲时而温柔时而不耐的语音、饥饿的感觉、食物滑过舌尖涌进身体的感觉……。每个孩子生来便具有强大的阅读本能，难道这种天赋的本领只是用来阅读教科书、阅读考题、解答考题吗？

“可是在资讯如此繁多密集、知识传输如此快速匆忙的时代，不赶快多看一些书，多上网路吸收新资讯，会赶不上别人呀！将来怎么和别人竞争？怎么找得到工作？怎么在社会上生存？怎么……”

忧心忡忡的父母、比学生还焦虑的教师，总是担心他们的下一代赶不上时代的脚步。难道因为要赶上时代的脚步，就得把阅读的天分浪费在变成解题高手、变成电脑荧幕前的数位解读机、变成语言翻译机吗？难道他们的时代不是由他们自己创造吗？“可是……”

再可是下去又要没完没了。大人就是爱担心，担心孩子这个没念到，担心孩子那个没背牢，完全忘记小时候曾经享受过美好愉快的阅读经验。

温习与创造

让我们一起来回想一次难忘的阅读经验。想不起来？那可能是太紧张了，没关系，慢慢来。先看看插画大师布赫兹如何述说他童年阅读的美好经验；再听听小北极熊专家汉斯·比尔认为阅读最重要的事是什么——这是他特别要告诉台湾孩子们的喔！接着，拥有丰富人生阅历的彼德·西斯，将要告诉我们，他小时候在父亲去西藏的岁月里，拥有什么新鲜的阅读经验……随着每一位插画名家的图画和他们真挚的文字，他们心目中关于阅读的种种想象和经验，在图画的色彩、线条中，在或多或少的文字里一一呈现。关于儿童阅读的主题越来越鲜明，意涵越来越丰富，每阅读一位插画家的图文创作，我们便不自觉的把之前几位插画家的创作纳入当下的阅读状态、更不时融入自己拥有的阅读记忆和想象。于是，在 41 位创作者和身为读者的我们的共同努力下，孩子们的阅读新世界正在形成。

儿童阅读，永恒的进行式

让儿童喜爱阅读、乐在阅读，或者仅仅阅读了一本好书，对他们的一生都是意义非凡的大事。格林文化希望在 21 世纪，郑重提醒曾经是小孩的大人们：让孩子们有充分的时间和自由阅读，并享受阅读的乐趣、思考运转的快感，让阅读成为一种最自然的存在、成为他们毕生的好友，绝对是 21 世纪第一件最重要的事。

我们很幸运地邀集了 41 位世界知名的儿童绘本插画家共襄盛举，以“儿童阅读”为主题，每人创作一幅插画及一篇文字。透过最具创造力和艺术性，也是最靠近孩子的儿童绘本插画家，用他们最具感染力的表达方式，共同为孩子们描绘美丽的阅读新世界。

希望格林文化是弓，这本书是弓，你们是弓；你们的孩子是从弦上发出的生命的箭矢，带着阅读生生不息的能量，奔赴各自人生的方向。怀着这样的希望，我们于是更加坚定地经历 21 世纪。当阅读成为一种习惯、一种最自然的存在之后，“儿童阅读”将成立一个节日，纪念孩子们每天愉悦丰富的生活。

目　录

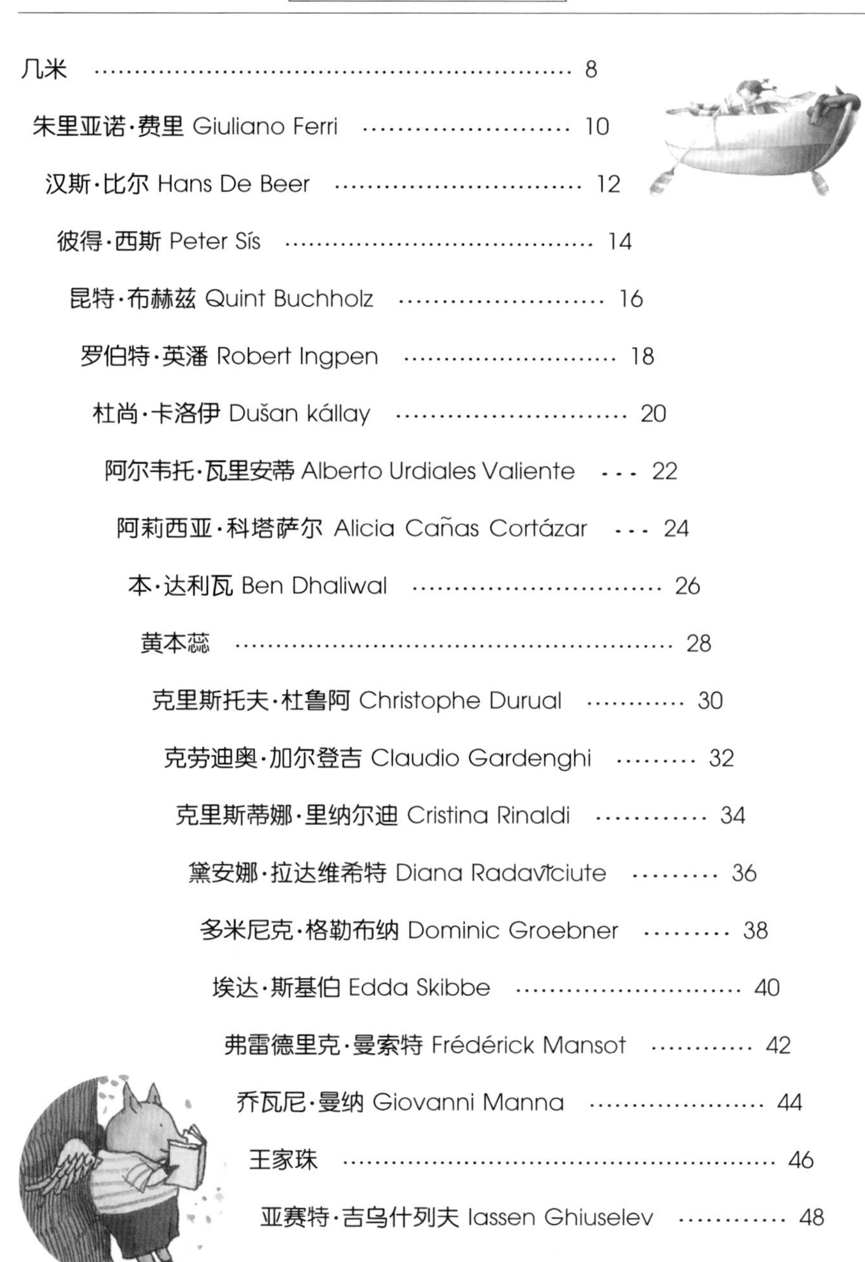

几米 8

朱里亚诺·费里 Giuliano Ferri 10

汉斯·比尔 Hans De Beer 12

彼得·西斯 Peter Sís 14

昆特·布赫兹 Quint Buchholz 16

罗伯特·英潘 Robert Ingpen 18

杜尚·卡洛伊 Dušan kállay 20

阿尔韦托·瓦里安蒂 Alberto Urdiales Valiente --- 22

阿莉西亚·科塔萨尔 Alicia Cañas Cortázar --- 24

本·达利瓦 Ben Dhaliwal 26

黄本蕊 28

克里斯托夫·杜鲁阿 Christophe Durual 30

克劳迪奥·加尔登吉 Claudio Gardenghi 32

克里斯蒂娜·里纳尔迪 Cristina Rinaldi 34

黛安娜·拉达维希特 Diana Radavǐciute 36

多米尼克·格勒布纳 Dominic Groebner 38

埃达·斯基伯 Edda Skibbe 40

弗雷德里克·曼索特 Frédérick Mansot 42

乔瓦尼·曼纳 Giovanni Manna 44

王家珠 46

亚赛特·吉乌什列夫 Iassen Ghiuselev 48

伊莎贝尔·沙特拉尔 Isabelle Chatellard …… 50

伊莎贝尔·福雷斯蒂尔 Isabelle Forestier …… 52

李汉文 …… 54

卡思特提斯·卡什帕拉维希斯
Kęstutis kasparaviciūs …… 56

玛丽亚·巴塔利亚 Maria Battaglia …… 58

玛琳·丹蒂博斯 Marine D'Antibes …… 60

玛丽安娜·罗特 Marianne Roth …… 62

毛罗·埃万杰利斯塔 Mauro Evangelista …… 64

梅·鲁索 May Rousseau …… 66

妮科莱塔·贝尔泰莱 Nicoletta Bertelle …… 68

妮科莱塔·切科 Nicoletta Ceccoli …… 70

保罗·达尔坦 Paolo D'Altan …… 72

保罗·鲁伊 Paolo Rui …… 74

皮娅·瓦伦蒂尼斯 Pia Valentinis …… 76

赛雷·里列蒂 Serena Riglietti …… 78

斯特凡诺·塔塔罗蒂 Stefano Tartarotti …… 80

斯特凡娜·吉雷尔 Stéphane Girel …… 82

文森特·杜特莱 Vincent Dutrait …… 84

仉桂芳 …… 86

黄淑英 …… 88

绘者介绍 …… 90

我一定会小心的。
每天呼吸新鲜空气和阅读，并且练习和大野狼跳舞。

朱里亚诺·费里

胃口越读越好，
好书一本接一本。

知道台湾的小朋友正在看我的书，
这种感觉真好！
很高兴藉由书，我们变成好朋友；
友谊永远存在，不论在哪一个国家。
知道吗？关于书，最重要的就是
好好享受它们！
它们为你开启新世界，帮助你更了解
周遭的世界！

我出生在欧洲中部的捷克共和国，捷克是内陆国，没有钓鱼的历史——除了鲤鱼,鲤鱼是我们传统圣诞大餐中最重要的一道菜。每年圣诞节前一个星期,街角就会有人卖刚从池塘抓起来的活鲤鱼。人们把鲤鱼买回家,把浴缸放满水,好让它们在里面游来游去——其实是为了保持它们的新鲜度。

有一年的圣诞节,我大概是四岁或五岁吧,爸爸去了西藏,一条小小的鲤鱼来到我们家。我和姊姊一眼就爱上了这只小鲤鱼,我们为它取名叫“皮姆”。每天我们一睁开眼睛就去找皮姆玩,喂它吃东西,讲故事给它听。有时候我们什么事也不做,就在浴缸边看着它。当然喽,皮姆是不可能变成我们家的圣诞大餐了。我们就把皮姆带去公园,放进池塘里。

姊姊和我经常去公园里看皮姆,带着我们的零食和它的零食,几本故事书,先玩耍一会儿再开始讲故事给它听。一开始先是讲一些和鱼有关的故事,像《金鱼》、《渔夫和他的妻子》、《约拿和鲸鱼》或是《木偶奇遇记》等。

皮姆一天天长大,食量也变得越来越大,我们只好拿国外邮票、玩具卡车和万花筒去学校和其他小朋友交换面包。你可以想像我们得喂皮姆多少食物,姊姊和我的点心、甚至大部分的三餐,都进了皮姆的肚子。爸爸从西藏回来,发现我们瘦得像皮包骨,非常担心。我们每天都忙着运食物和书去池塘给皮姆,家里的书讲完了,就去学校图书馆借,最后,只得去市立图书馆借书。我想皮姆可能是世界上知道最多故事的鲤鱼了。

皮姆在小小的池塘里忙得很,一会儿喷水、一会儿弄出很大的波浪。每次我们去找它时,它就会摆动它的尾巴欢迎我们。姊姊和我一天天瘦下去,不论爸妈给我们多少食物,我们照样变瘦。就在我们想不出别的办法弄东西给皮姆吃时,本市报纸头版新闻救了我们:“公园里出现一条破纪录的大鱼!”

从那以后,我们改成到动物园去看皮姆。动物园很远,但我们每个礼拜都会去,为它讲一、两个故事,偷偷喂它一些零食,假装没看到“不要喂动物吃东西”的告示牌。皮姆继续不停地长大,不停地长大,大到吓人的地步。“鲸鱼一样大的鱼——鲸鱼出现在内陆国家……”电视台都在播报这则新闻。但这只大鱼似乎和别的鱼不太一样,它摆动的尾巴慢慢地写出字母,然后写出文字,最后写出了一篇故事。

现在,姊姊和我只要回到家乡,一定会去找皮姆;它也总是为我们写一个最好看的故事。我想是爱让我们的心紧紧相连,是故事让皮姆和我们的世界更丰富、更美好。

每天晚上，母亲总是坐在妹妹的书桌旁，
在微弱的灯光下，为我们念故事书。

房间里，半明半暗，
我们温暖地躺在被窝里，
认真地听妈妈说故事，
妹妹抱着她的娃娃，我抱着我的泰迪熊。

有时，没有任何地方，比待在书中更棒。
这种感觉，
至今还留在我的身体里。

罗伯特·英潘

熊熊边走边思考。
无论怎么走,千禧年仍然路途遥远。
穿越巴比伦,要经过五十又八哩,
到时刚好吃晚餐,却无法再回来。

我知道要往圣荷西的路,得穿越西班牙,
但是却会碰到鼻子上套着圈圈的海盗猪,
还要经历一年又一天的时间。

如果我走过树林以及故事生长的地方,
迷路时,就可以随处探听方向。
孩子们会知道我已经尽了力,玩具们
会窃窃私语:
这只熊熊明天会再尝试其他的路。

千禧年童话小船就要开了，童话国的精灵和动物们，也要和大家一起航向千禧年，到21世纪陪伴你。

2000

当老人们在我的玩具盒里塞进一堆
古老的故事，
"阅读"这个神奇的字眼就开始让我
目眩神迷。

有人发明了一个复杂的世界，装在
书本中送给我……
生活中的书本！
自由而且放任的空间！
其中有受虐的人物，四处制造混乱；
有哀伤的人，居住在失忆和危险中。
这是我可以进入的空间，为他们
带来秩序，拯救他们；或者，有时候
连我也没办法，就和他们共同承受
最惨痛的折磨。
我一直和无止尽的童话世界保持联系。
我常常因为不知道如何说出神奇的
字眼而内疚。
我永远期待着仙女来改变我……

孩子啊，现在我把这本书送给你，
生活中的书本！
自由而放任的空间！
希望能够带给你童话故事的全新风味。

克拉拉听见母亲叫她。
“下个月我们要搬到乡下去住了，”克拉拉说，“汤姆，遇见你是我生命中最棒的事情。我迫不及待要和其他的同学分享有关你的事情，一定棒极了……可是他们不会相信我的话。所以，我会写一个关于友情的故事，叫做‘汤姆和一个女孩’，让他们知道并且喜爱我们的故事。现在，再见喽！请记得我，我也会记得你的。”

有人说，儿童书
充满了谎言和俗套。
虽说有些确实是
如此，
但儿童书还是
有趣无比。

文字和图画创造了
乐趣，有时还有点
教育意味；
公主，屠龙武士，
以及小精灵，
丰富了孩子们的
心灵。

出生的婴儿
宛如清空,
有潜能,有一股力量,
但他们需要被灌溉
才得以滋长。

然而环顾我所处的时空
那么多变,
使我感觉混乱与惶然。
但是我知道,唯有好书不变,
他们代代相传,
灌溉过我的父母,
也灌溉了我,
现在,是灌溉下一代的时候了。

阅读让你永远不孤独！

哦，我永远记得它们：一本本单薄的小书，每一页都有插画。姊姊把故事念给我听，用不同的声调扮演不同的角色。书中的文字以及影像深深吸引我；我动也不动地听着，各式各样的人物在想像中活跃，而我也成为其中的英雄。

由于我对角色的喜爱，随着时间的流逝，我也学会如何把他们画出来。只要一想到孩子们在阅读这些故事时，目光可以停留在我所呈现的影像上，任由想象力飞驰，真是非常神奇的事。这些都是我生命中难以忘怀的旅程。

我想，有一天，
人类将会灭绝，
唯有图书馆永远流传，
明亮、孤独、无垠、静止，
一本本无用的珍藏，
却又纯净而神秘。

有个小秘密我要告诉你……
我们家花园里那棵老苹果树上，
住着两个善良的小仙子。
妈妈说她们整个夏天都在最高的枝干上
荡秋千，用五彩丝线替孩子们
编织精巧的手套。

如果你曾在苹果树上看到其中一位仙子，
全世界所有最可爱、最好看的
都会在你眼前展现；而且，你也将明白
雨、风和彩虹捎来的讯息。

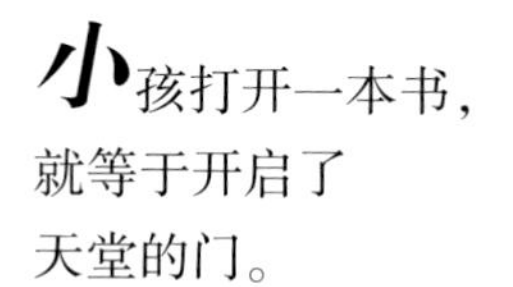

小孩打开一本书，
就等于开启了
天堂的门。

埃达·斯基伯
阅读激发想象!

记住喔！大野狼永远是大野狼。

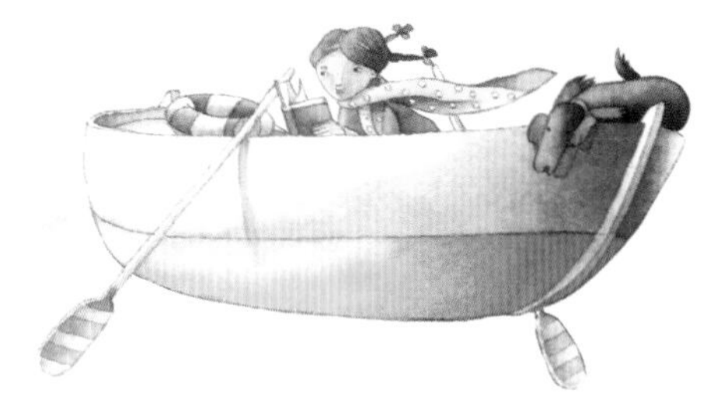

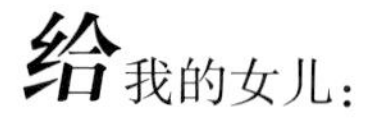

给我的女儿：

这本书献给你，
它是我们最珍贵的礼物，
让它在寂寞的夜晚陪伴你，
带你远游，
在无尽的梦境中，
漫游只有你认识的国度。
这本书献给你。

——意大利作家劳拉·马纳莱斯(Laura Manaresi)

那天在书店看到一个很小的小婴儿，
他坐在地上，小腿上放着一本大大的书，
他的妈妈蹲在跟前说故事给他听；
我不知道他的小脑袋里在想什么，
可是他专注的表情和眼神，
实在很令我心动。

我们永远不知道一本书会给读它的人
什么影响，或是什么想法，
可是我相信，当书与人接触时，必定是
火光四射——
如果我们有一双透视眼，必可看见
这个奇景！

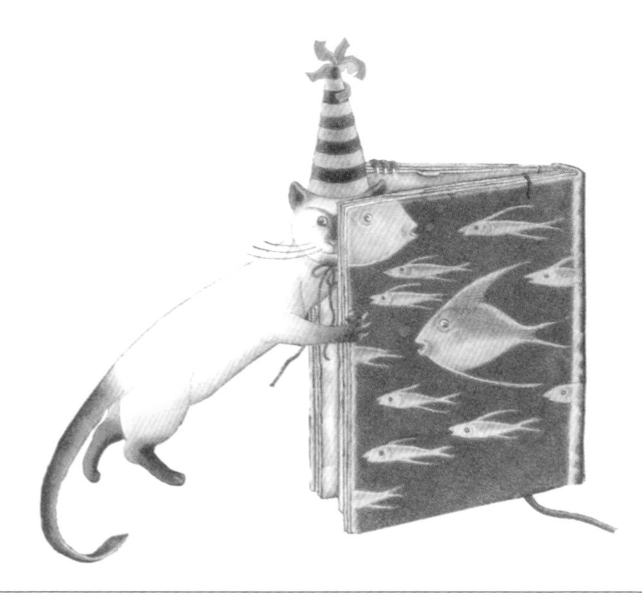

世界上没有人比欧洛伊知道更多故事,他是个真正会说故事的专家。
每到晚上,当孩子们坐在书桌前做功课或发呆时,欧洛伊就会光临——他大都从楼梯上悄悄下来,因为他只穿袜子——打开门后,他就朝着孩子的眼睛撒一点晶晶亮亮的细粉。就这样,孩子的眼睛暂时睁不开,当然也看不见欧洛伊长什么样喽!
接着,他走到孩子们的背后吹一口气,让他们昏昏欲睡。
欧洛伊很疼爱孩子,他希望所有的小孩都能安安静静的上床睡觉,想听他说故事,要先有良好的表现才行。

等到孩子们睡着以后,欧洛伊就会在他们的床边坐下来。
欧洛伊穿的衣服都是丝织品,颜色很难形容,因为只要他一移动,他的衣服就会闪烁五彩缤纷的颜色。
欧洛伊随身带着两把伞,当他打开画着图画的那一把时,小孩整夜都会做好梦;另一把什么也没画的伞是用来对付坏孩子的,那把伞一张开,孩子很快就会睡着,而且直到天亮都不会做梦。

嘘!安静点!现在,欧洛伊要开始讲故事了……
“那欧洛伊的故事是谁讲的?”有一个小朋友突然问我。
“你去看书嘛!”我赖皮地说。
——得自安徒生童话故事“梦之精灵欧洛伊”的灵感

孩子们的童年，由大人来创造。

伊莎贝尔·福雷斯蒂尔

几个黑色的符号，
在白纸上留下痕迹；
几抹彩色的笔触，
让梦的形影在明暗对比中
隐约浮现。
思想就在世代与国度之间
自由翱翔。

知识就是力量！

我的名字叫作书。
有时候，我会对着镜子阅读自己，
就像现在这样……。
如果小鸟把我的字偷走了，
我也不生气，它可能是要把字带去
给小朋友，教他们看书吧。
那不是太棒了吗？何况，我还有
那么多字、词和句子呢！

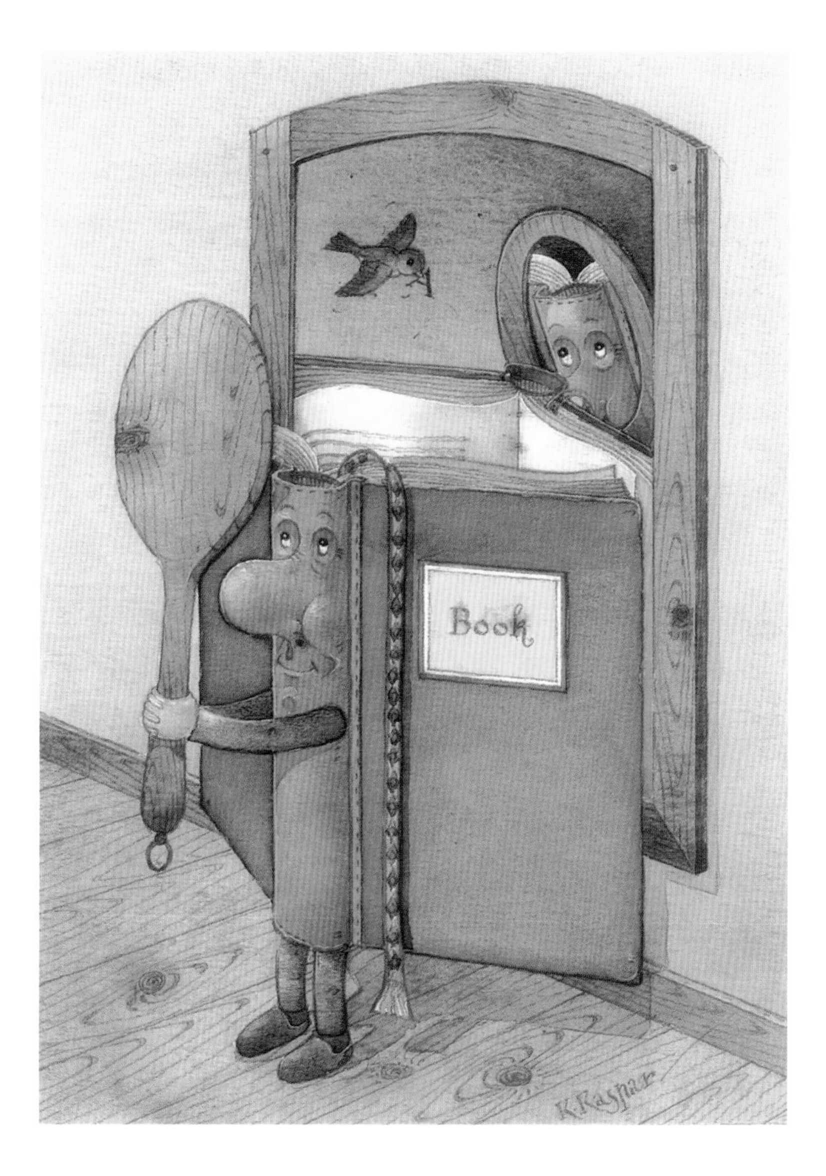
Book
K.Kaspar

一半的小孩因为吃东西而长大，
另一半因为阅读而成长。

玛琳·丹菲博斯

空出时间来阅读，让自己被图画
和文字所吸引，
横越世纪，穿梭时空。
漫游雅典、巴海雅、黄金岛、
神奇山、或是兔子洞，
去探索并且征服世界；接近
小木偶、汤姆叔叔或是点灯人；
和狐狸说话，驯服它；
收集小妖怪的秘密、历史的回忆，
以及仙子的点点滴滴；
去感受罗密欧与朱丽叶的爱情，
为葛夫侯许哀伤，和恶毒的
红心女皇争斗，寻找玫瑰花；
囚禁恶巨人，屠杀大飞龙，
解救小红帽；变成巨人、小王子
或是海盗；然后长大。

在书的世界，一跳就是好远。
面对着月亮，舞出我的喜悦。

A TRUE STORY

◎一个真实故事

前不久，我正在想一个故事，一个可以展现儿童书的重要性的故事。我知道我的任务重大，可不能随便说一个陈腔滥调的故事就交差。

于是，在一个夏日暴风雨之后，我骑着脚踏车，到附近一个幽静的地方，以便好好思考。在路上，我看见一个深色的东西，原来是一只湿透了的小鸟。

我捡起一只奄奄一息的小鸟，带回我的画室。
在我细心照料之下，小鸟睁开了眼睛，开始吃东西，
并且逐渐恢复了飞行的体力。

当它展翅高飞的那一刻，我兴奋得在画室里又叫又跳……
可是，天啊！我忘了要想那个重要的故事……。

不过，至少我们的小鸟朋友，将在千禧年的上空自由飞翔，
就像我们期盼孩子们在千禧年里，从容地成长一样，不是吗？

让孩子们
看一看、摸一摸、尝一尝，
自己的想像；
让孩子们
想一想、跑一跑、跳一跳，
畅游所有的世界。

图画故事书里
藏着会吸引孩子目光的
美丽小东西:
羊和牧羊童、树木和坏蛋。

在图画故事中
可以看到所有的事物,
远近的海洋和城市,
还有飞行仙女的样子。

——罗伯特·史蒂文森
(Robert Louis Stevenson)

每本书都是开启
新世界的门窗。
文字、片语、段落。
阅读让她
在新世界里畅游，
一句一句，一页一页，
各式各样的人物
向她呼唤。
他们带着她一起悠游，
直到最后一页。

未来就在你手中!

保罗·鲁伊

生命犹如一趟旅程。
用梦想中的双脚、脚踏车、汽车、
马儿,以及神奇的机器,
横越时空,超越想像。
在旅程开始之际,阅读的书
和听来的故事,让我们在无限的可能中
找到方向。
然后,更藉由它们分享知识。
没有它们,我们便会迎头撞向墙壁,
卡住,就像失去轨道的火车。

皮娅·瓦伦蒂尼斯

阅读时，梦想。
梦想时，阅读。
阅读梦想，
梦想阅读。

赛雷娜·里列蒂

“你应该善用你的时间，”爱丽丝说，“为什么要浪费时间去猜没有意义的谜题？”

“哦？我倒希望你像我一样了解时间。”疯帽匠说，“如果你和时间的关系良好，他可以随你的意思，让钟走快或走慢。例如早上九点是上课时间，只要你稍微暗示他一下，他就会让钟一下子走到午餐时间。”

“真的吗？”爱丽丝一脸狐疑。

“是真的！哎……”疯帽匠叹了口气，“可是去年三月我和时间吵了一架，他就不理我了。他一直停在去年三月的六点钟，不论我说什么都不肯动。”

“你在说什么呀？”爱丽丝说，“你以为时间停了，其实他根本没有停，他一直都用同样的节拍前进，是你自己停摆了。不过，有一个家伙可以帮你赶上时间喔！”

“真的吗？是什么？”疯帽匠迫不急待。

“他是用纸和文字做成的，他是时间的好朋友，懂得和时间说话的艺术。他会带着你和时间并翼飞翔；他会照顾你，陪伴着你，一直到未来。他的名字叫做……书。”

——得自《爱丽丝梦游仙境》的灵感

有一些隐约的文字，
单薄的墨汁影子。
它们是梦想的原料，
清风一吹骤散的
黄金岁月。

Tes utopies
Ta vie rebelle
Tes paradis artificiel
Ton appétit de l'irréel
Ton dernier lit blanc co
Le cheve
Fait com
Au fond
Je nourris
Avec ce m
Avec cette
Quand je m
Je suis dehor
Depuis b
lueur
que je
toute allure
instinct dans
précipitai
à recoller
poignée d'un
Laurent.
orceau de nacre

我画画可不是为了孩子们，而是为了我自己的童年。

很久以前有一位名叫
克萝的小小女孩。
她住在一个明亮而且
充满水蝴蝶的房子里。

克萝是一位特别的
小女生。她热爱文字，
就如同其他的小朋友
热爱糖果和巧克力
一样。

她最喜欢品尝的，
是那些编织神话和
鬼怪故事的文字。

仉　桂　芳

阅读，是从有限的物质世界，
到达无限的思想空间
最快的方法。

即使科技日益昌明，
但是古老的地图、
神秘的传说，仍然
一本又一本的出现。

说不尽的英雄事迹，
海盗的冒险故事。
永远雪亮的双眼，
带着孩子的心，
飞向无边无际的幻想世界。

一千年前如此，
今日如此，
一千年后亦将如此。

North Point
Salmons
Wolf Rock
Beautiful Bay
Star Islands
Rose Hill

绘 者 介 绍

几米

1958中国台湾

毕业于文化大学美术系设计组，曾在广告公司担任美术指导，目前专心从事插画创作。代表作包括《森林里的秘密》、《微笑的鱼》、《向左走·向右走》、《听几米唱歌》、《月亮忘记了》。作品拥有广大的读者迷。

朱里亚诺·费里

Giuliano Ferri

1965 意大利

拥有多年的儿童绘本创作经验，擅长使用粉彩，画风温暖明亮，深得孩子们的欢迎。代表作包括《独角兽》、《爱因斯坦》、《吉卜林童话——大象的鼻子为什么那么长》以及《一片披萨一块钱》等。作品多次入选"波隆纳国际儿童书插画展"，并在英、德、法、美国、墨西哥、意大利等地都有出版。

汉斯·比尔

Hans De Beer

1957 荷兰

出生于阿姆斯特丹，毕业于雷特瓦艺术学院插画系。以小北极熊为主的一系列故事崛起插画界，并迅速获得热烈回响。代表作包括《我是你的好朋友》、《别怕，我在你身边》、《想看海的小老虎》等。得奖无数，包括"波隆纳国际儿童书展最佳选书"、"布达佩斯国际插画双年展金徽奖"、"荷兰温布旗奖"、"法国八角美术奖"、"德国瑟堡城市奖"、"日本猫头鹰奖"等。

彼得·西斯

Peter Sís

1949 捷克

享有知名插画家，作家，电影工作者等多重创作者身份。先后就读布拉格的应用艺术学院及英国伦敦的皇家艺术学院。代表作包括《星星的使者——伽利略》、《天谕之地》、《三支金钥匙》等。得奖记录包括"纽伯瑞大奖"、《纽约时报》年度最佳插画奖、"波士顿环球·号角杂志荣誉奖"、"美国插画协会金牌奖"、"美国凯迪克大奖荣誉奖"等。

昆特·布赫兹

Quint Buchholz

1957 德国

出生于莱茵河地区的施托尔贝格。先后在慕尼黑大学攻读艺术史，在造型艺术学院专修绘画。代表作包括《莎丽要去演马戏》、《灵魂的出口》、《瞬间收藏家》、《南极，遥远的知音》、《马提与祖父》等。得奖记录包括"德国绘本大奖"、"布达佩斯国际插画双年展金牌奖"、"波隆纳国际儿童书展最佳童书奖"、"大山猫奖"、"纽约时报最佳图书"、"德国青少年文学奖"佳作等。

罗伯特·英潘

Robert Ingpen

1936 澳洲

罗伯特·英潘是第一位赢得"国际安徒生大奖"的澳洲插画大师，出生于吉朗(Geelong)。身兼插画家、作家、环境设计、历史学者、壁画创作者等多重身份，在每一个领域都有杰出的表现。代表作包括《生命之歌》、《我爱大自然》、《和平在人间》、《马可波罗》、《玄奘》、《罗伯特·斯科特》等。

杜尚·卡洛伊

Dušan Kállay

1948斯洛伐克

出生于布达佩斯，目前任教于维也纳大学美术系，教授插画和版画艺术。代表作包括《威尼斯商人》、《仲夏夜之梦》、《冬天王子你要去找谁》、《穿越世界的一条线》等。杜尚·卡洛伊是唯一一位同时获得"国际安徒生大奖"和"布达佩斯国际插画双年展"首奖的重量级插画大师，国际巡回个展 36 次，获颁国际重要奖项 37 个。

阿尔韦托·瓦里安蒂

Alberto Urdiales Valiente

1948 西班牙

出生于西班牙马德里，毕业于马德里大学美术系，是西班牙相当知名的插画家。作品风格细腻精致，人物造型往往散发出高雅的气息。代表作包括《驯悍记》、《卡门》等。作品曾入选“波隆纳国际儿童书插画展”。

阿莉西亚·科塔萨尔

Alicia Cañas Cortázar

1947 西班牙

毕业于马德里圣费南多美术大学，早期创作以油画为主，后来转入儿童书插画领域，便爱上了儿童书，不可自拔。至今已创作超过100本儿童图画书，代表作包括《错中错》、《恰佩克童话》等。作品多次入选“波隆纳国际儿童书插画展”以及“布达佩斯国际插画双年展”等。

本·达利瓦

Ben Dhaliwal

1965 英国

出生于英国约克郡，母亲是英国人，父亲是印第安人。本·达立瓦在里兹大学学习艺术史及装饰艺术，对欧州应用艺术有深刻的了解；毕业后，在里兹画廊担任展览策划的工作5年。对创作感到兴趣，是1993年以后的事了。《威尼斯的狮子》是他的第一本作品，希望台湾的小朋友都喜欢。

黄本蕊

1959 中国台湾

毕业于师大美术系，于纽约视觉艺术学院主修插画，目前居住在纽约，专事儿童绘本插画创作。作品风格多样，经常运用不同的材质、不同的表现手法来创作绘本、诠释故事。代表作包括《马裤先生》、《狂人日记》等。

克里斯托夫·杜鲁阿

Christophe Durual

1968 法国

出生在法国，毕业于里昂的Emile Cohl应用艺术学校。代表作包括《长靴猫大侠》、《海乌姆村的鲤鱼》、《哈姆雷特》等。作品曾入选“波隆纳国际儿童书插画展”、“布达佩斯国际插画双年展”、“加泰隆尼亚国际插画双年展”以及“联合国儿童救援基金会(UNICEF)年度最佳插画家”等。

克劳迪奥·加尔登吉

Claudio Gardenghi

1949 意大利

作品风格精细柔和，擅长使用铅笔和彩色铅笔。代表作包括《圣诞礼物》、《彼德潘》等。作品曾获“南斯拉夫贝尔格莱德金笔奖”、“联合国儿童救援基金会(UNICEF)最佳插画家奖”，作品多次入选“波隆纳国际儿童书插画展”。

克里斯蒂娜·里纳尔迪

Cristina Rinaldi

1966 意大利

毕业于米兰Brera美术学院，擅长运用水彩、炭笔、铅笔作画。除了从事插画创作之外，她也是一位美术老师。代表作包括《黄昏》、《吉卜林童话——独来独往的猫》以及《先知》等。作品多次入选“波隆纳国际儿童书插画展”。

黛安娜·拉达维希特

Diana Radaviciūte

1958 立陶宛

作品带有浓厚的童话气息，风格细腻灵巧，擅长使用水彩与色铅笔。除了插画之外，对于平面艺术、装置艺术也颇有心得。代表作包括《羽毛冠》、《格林童话——糖果屋》等。作品多次入选“波隆纳国际儿童书插画展”以及“布达佩斯国际插画双年展”等。

绘 者 介 绍

多米尼克·格勒布纳

Dominic Groebner

1965 奥地利

毕业于维也纳应用艺术学院,在艺术学院就读期间,便为许多儿童读物绘制插画和卡通。他擅长以水彩作画,画风轻灵淡雅,人物表情鲜活生动。《三隐士》是他第一次在台湾出版的作品,并入选"波隆纳国际儿童书插画展"。

埃达·斯基伯

Edda Skibbe

1965 德国

毕业于德国造形艺术学院,目前为自由插画家,在德国的书店里经常可以看到她为小朋友画的绘本。代表作包括《快乐的死刑犯》、《看不见的收藏》、《财神与爱神》、《安徒生童话——国王的新衣》等。曾获"联合国儿童救援基金会(UNICEF)最佳插画家奖",作品多次入选"波隆纳国际儿童书插画展"及"布达佩斯国际插画双年展"等。

弗雷德里克·曼索特

Frédérick Mansot

1967 法国

毕业于里昂 Emile Cohl 应用艺术学校,身兼插画教师与自由插画家二职,作品具备充分的幽默风格,常有出人意表的表现。代表作包括《黑猫》、《格林童话——白雪公主》等。作品曾入选"波隆纳国际儿童书插画展"及"布达佩斯国际插画双年展"等。

乔瓦尼·曼纳

Giovanni Manna

1966 意大利

出生于佛罗伦斯,在佛罗伦斯和波隆纳学习雕板印刷,在威尼斯及沙尔米地学习插画。代表作包括《托尔斯泰童话——国王与衬衫》、《我爱小不点》等。作品曾获"联合国儿童救援基金会(UNICEF)"插画奖,并多次入选"波隆纳国际儿童书插画展"。

王家珠

1964 中国台湾

毕业于铭传商专商业设计科,目前专事插画创作。代表作包括《巨人和春天》、《新天糖乐园》、《七兄弟》、《懒人变猴子》等。曾获"亚洲儿童书插画双年展首奖"、"开卷最佳童书奖";作品入选"波隆纳国际儿童书插画展"、"布达佩斯国际插画双年展"、"加泰隆尼亚国际插画双年展"等。

亚赛特·吉乌什列夫

Iassert Ghiuselev

1964 保加利亚

吉乌什列夫出生在保加利亚的首都索菲亚,1990 年毕业于索菲亚的美术学院。代表作包括《黑桃皇后》及《真理的追求者——苏格拉底》等。作品分别入选"波隆纳国际儿童书插画展"、"加泰隆尼亚国际插画双年展"以及"布达佩斯国际插画双年展"等。

伊莎贝尔·沙特拉尔

Isabelle Chatellard

1970 法国

毕业于里昂 Emile Cohl 应用美术学校,现为专业插画家。擅长使用压克力及粉彩,喜欢利用各种媒材不同的特性,混合出有趣的效果。代表作包括《费加罗的婚礼》等。曾获"布达佩斯国际插画双年展金苹果奖",并多次入选"波隆纳国际儿童书插画展"。作品除了在法国之外,还在德国、美国、日本等国家出版,都获得极大的赞赏。

伊莎贝尔·福雷斯蒂尔

Isabelle Forestier

1954 法国

毕业于安西与贝毕农艺术学校,除了插画创作,也致力于艺术治疗的研究。她擅长使用水彩及墨水,画风带有东方的古典气息。代表作包括《青蛙变变变》、《安徒生童话——拇指姑娘》、《火鸟》等。作品多次入选"波隆纳国际儿童书插画展"。

李汉文

1964中国台湾

国内知名的纸雕创作家，毕业于新民商工电子科。代表作包括《起床啦！皇帝》、《十二生肖的故事》、《虎姑婆》、《纸牌王国》、《绿野仙踪游戏书》、《圣诞总动员》等。曾获“信谊幼儿文学奖图画书首奖”、第一届“金龙奖”、“纽约国际立体插画铜牌奖”、“纽约国际广播电视节目展动画银牌奖”及“联合报读书人最佳童书”。

卡思特提斯·卡什帕拉维希斯

Kęstutis Kasparavicius

1954 立陶宛

毕业于奥地利维尔纽斯艺术学院，在欧洲插画界享有声誉。代表作包括《诚实的贼》、《以撒辛格童话——自认为是狗的猫和自认为是猫的狗》、《魔弹射手》等。曾获“联合国儿童救援基金会(UNICEF)最佳插画家奖”、“南斯拉夫贝尔格莱德金笔奖”、“加泰隆尼亚国际插画双年展”荣誉大奖；作品多次入选“波隆纳国际儿童书插画展”、“布达佩斯国际插画双年展”等。

玛丽亚·巴塔利亚

Maria Battaglia

1963 意大利

毕业于米兰的欧洲设计艺术学院，目前为自由创作插画家。画风圆润可爱、富有想象力。代表作包括《梦幻城堡》、《蝴蝶新衣》、《安徒生——卖火柴的小女孩》、《魔笛》、《青鸟》等。作品多次入选“波隆纳国际儿童书插画展”、“布达佩斯国际插画双年展”、“加泰隆尼亚国际插画双年展”等。

玛琳·丹蒂博斯

Marine D´Antibes

1960 比利时

出生于比利时，毕业于布鲁塞尔的圣·吕克高等艺术学院，目前任教于布鲁塞尔图解研究学校。代表作包括《赌王费多里哥》、《罗密欧与朱丽叶》、《孤星泪》和《歌剧魅影》等。作品曾入选“布达佩斯国际插画双年展”等国际性的插画展。

玛丽安娜·罗特

Marianne Roth

1962法国

出生于比利时，自斯特拉斯堡设计艺术学院毕业后，她充分掌握自己的专长，全心从事绘画设计工作。代表作品包括《金鱼王在哪里》等。曾获“联合国儿童救援基金会(UNICEF)最佳插画家奖”，作品多次入选“波隆纳国际儿童书插画展”。

毛罗·埃万杰利斯塔

Mauro Evangelista

1963 意大利

毕业于威尼斯美术学院，作品以细腻的笔触、和谐的色彩和充分传达故事气氛的风格，广受欢迎。代表作包括《旅馆的那一夜》、《托尔斯泰童话——傻子伊凡》、《苹果的引力——牛顿》等。作品多次入选“波隆纳国际儿童书插画展”、“布达佩斯国际插画双年展”和“加泰隆尼亚国际插画双年展”等。

梅·鲁索

May Rousseau

1957加拿大

梅·鲁索的画风色彩鲜明亮丽，作品在美国、加拿大都受到小朋友的欢迎。除了从事儿童书的插画工作之外，她在平面设计上的表现也相当杰出。代表作品包括《生死之谜》、《吉希》等。作品多次入选“波隆纳国际儿童书插画展”及“布达佩斯国际插画双年展”等。

妮科莱塔·贝尔泰莱

Nicoletta Bertelle

1966 意大利

毕业于帕度瓦 P.Selvatico 艺术学校，从事儿童绘本创作至今，赢得不少小读者的喜爱。除了插画之外，她也从事平面设计，并在学校里教小朋友关于“书是怎么诞生的”课程。她擅长以水彩作画，渲染的技法十分曼妙。代表作包括《憨第德》等。作品曾获威尼斯 Scarpetta D´Oro 奖第二名。

妮科莱塔·切科

Nicoletta Ceccoli

1973 圣马利诺

就读乌尔比诺的艺术学院期间，学习动画绘图，作品经常在意大利各项插画家联展中展出。画风浪漫富幻想力，代表作包括《大胡子》、《四大浪漫诗选》等。作品曾入选“波隆纳国际儿童书插画展”。

保罗·达尔坦

Paolo D´Altan

1964 意大利

自艺术学校与插画学校毕业后，便开始从事广告插画和美术编辑的工作。代表作包括《台风》、《智慧的长河——释迦牟尼》等。曾获“联合国儿童救援基金会(UNICEF)最佳插画家奖”、“意大利美术设计俱乐部金牌奖”等，作品多次入选“波隆纳国际儿童书插画展”。

保罗·鲁伊

Paolo Rui

1962 意大利

出生于米兰，在米兰 Brera 美术学院专攻绘画。曾为许多知名企业的产品绘制插画。93 年作品来台展出，作品曾获“第三届意大利插画年鉴最佳插画奖”及入选“波隆纳国际儿童书插画展”。代表作包括《爸爸》、《梵高》以及《达芬奇》等。

皮娅·瓦伦蒂尼斯

Pia Valentinis

1965 意大利

毕业于优丹的塞洛艺术学院。代表作包括《英雄不怕猫》、《说故事的人》、《伊索寓言》、《猫的天堂》以及《动物狂欢节等》。作品多次入选国际重要的插画展，如“波隆纳国际儿童书插画展”、“加泰隆尼亚国际插画双年展”和“布达佩斯国际插画双年展”等。

赛雷·里列蒂

Serena Riglietti

1969 意大利

毕业于乌尔比诺书籍学校、拉威纳和乌尔比诺的艺术学院，1995 年她的插画创作开始崭露头角，至今陆续创作了二十余本绘本。代表作包括《爱丽丝梦游仙境》、《孩子与魔术》等。作品曾入选“意大利蒸汽船插画展”、“波隆纳国际儿童书插画展”等。日本、英国、台湾等国出版社纷纷邀请她为他们创作。

斯特凡诺·塔塔罗蒂

Stefano Tartarotti

1968 意大利

出生于波札纳，毕业于米兰卡通学校。画风活泼轻快，造型可爱亲切。代表作包括《跳舞吧老鼠》、《伊索寓言》和《王冠的秘密——阿基米德》等。作品曾入选“波隆纳国际儿童书插画展”。

斯特凡娜·吉雷尔

Stéphane Girel

1970 法国

出生于法国里昂，毕业于里昂 Emile Cohl 应用艺术学校。擅长以压克力颜料作画，画风极具动感，经常在画面里颠覆读者的视觉角度，是法国相当受欢迎的儿童绘本插画家。代表作包括《魔瓶》等。作品多次入选“波隆纳国际儿童书插画展”。

文森特·杜特莱

Vincent Dutrait

1976 法国

毕业于里昂 Emile Cohl 应用艺术学院，目前专事插画工作。他喜欢尝试新媒材，也喜欢混合使用数种媒材以制造不同的视觉效果。作品常见于法国杂志，也为不少出版社绘制儿童绘本。代表作包括《环游世界八十天》等。作品曾入选“波隆纳国际儿童书插画展”。

仉桂芳

1965 中国台湾

毕业于复兴商工美工科，目前为专职插画家。代表作包括《找错医生看错病》、《颠三和倒四》、《祝你生日快乐》等。曾获“洪建全儿童文学奖”、“国语日报牧笛奖”，作品并获选“联合报读书人最佳童书”。

黄淑英

1964中国台湾

毕业于文化大学美术系设计组、旧金山艺术学院主修插画。现为朝阳科技大学兼任讲师。擅长使用水彩作画，代表作包括《只要吃半个馒头，小黄狗种馒头》、《火车》、《巫婆》、《小小孩》等。曾获“洪建全儿童文学奖”优胜。

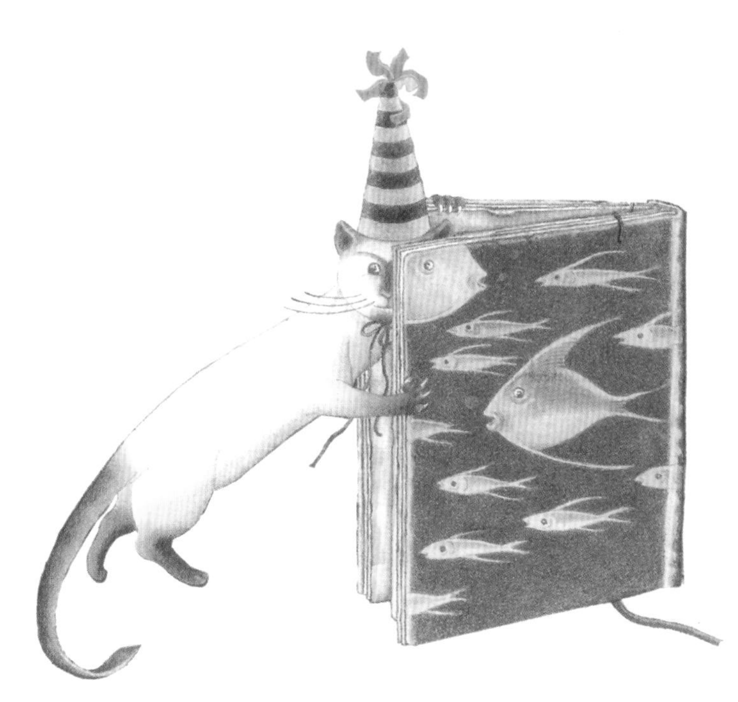

图书在版编目(CIP)数据

梦想的翅膀 / 几米等著；－北京:中国轻工业出版社，2005.6
ISBN 7-5019-4912-3

Ⅰ.梦… Ⅱ.几… Ⅲ.①绘画－作品综合集－世界－现代
②随笔－作品集－世界－现代 Ⅳ.①J231 ②I16

中国版本图书馆 CIP 数据核字（2005）第 048888 号

责任编辑：雅歌　　责任终审：劳国强

出版发行：中国轻工业出版社（北京东长安街 6 号，邮编：100740）
印　　刷：北京旺鹏印刷有限公司
经　　销：各地新华书店
版　　次：2005 年 6 月第 1 版　　2005 年 6 月第 1 次印刷
开　　本：889 × 1230　1/32　印张：3
字　　数：10 千字
书　　号：ISBN 7-5019-4912-3/J·238
定　　价：20.00 元
著作权合同登记 图字：01-2005-2880
读者服务邮购热线电话：010-65241695　85111729　传真：85111730
发行电话：010-85119845　85119925
网址：http://www.chlip.com.cn
E-mail：club@chlip.com.cn
如发现图书残缺请直接与我社读者服务部联系调换
50432J7X101ZYW